Mission périlleuse en Erianigami

De la même auteure

Au-delà de l'univers, Éditions du Trécarré, 2004.

Alexandra Larochelle

Mission périlleuse en Erianigami

Au-delà de l'univers
Tome 2

Trécarré

Catalogage avant publication de Bibliothèque et Archives Canada

Larochelle, Alexandra, 1993-

   Au-delà de l'univers

   Éd. originale du v. 1 : Cap-Rouge, Québec : Robert Larochelle, 2004
   Vol. 1 publ. à l'origine dans la coll. : Collection M. Boukin.
   Sommaire : t. 1 [sans titre spécifique] — t. 2. Mission périlleuse en Erianigami.
   Pour enfants.

   ISBN 2-89568-259-3 (v. 1)
   ISBN 2-89568-257-7 (v. 2)

   I. Titre. II. Titre: Mission périlleuse en Erianigami.

PS8623.A76A95 2004b   jC843'.6   C2004-941659-6
PS9623.A76A95 2004b

Nous reconnaissons l'aide financière du gouvernement du Canada par l'entremise du Programme d'Aide au Développement de l'Industrie de l'Édition pour nos activités d'édition.

Mise en page :
Infograf

Illustrations :
Julie Rocheleau

© 2004, Éditions du Trécarré

ISBN : 2-89568-257-7

Dépot légal - 2004
Bibliothèque nationale du Québec

Imprimé au Canada

Éditions du Trécarré
7, chemin Bates, Outremont (Québec)
H2V 4V7 Canada

Alexandra Larochelle

Alexandra Larochelle est née le 5 mai 1993. Sa passion pour l'écriture émerge dès l'âge de cinq ans. Après *Au-delà de l'univers*, premier roman publié en avril 2004 à l'âge de dix ans et vendu à plusieurs milliers d'exemplaires, elle nous présente cet ouvrage fantastique, deuxième tome de cette trilogie.

Malgré un emploi du temps bien rempli consacré au travail scolaire, à la lecture, aux activités sportives, à l'apprentissage du piano, aux jeux avec ses amis, à la rencontre de ses lecteurs dans les écoles, ainsi qu'à de fréquentes entrevues avec les journalistes, elle se réserve des moments privilégiés pour donner libre cours à sa passion première, l'écriture.

Remerciements

À mes formidables amis et amies.
Notre complicité m'est très précieuse.

À toute ma famille. Votre amour est
si important pour moi.

À mes lecteurs. Vos encouragements me
font beaucoup de bien.

Très sincèrement, merci !

*À grand-maman Yolande
que j'adore et pour qui
je garde une place privilégiée
dans mon cœur...*

La vision de Philippe

Madame Marie Quenouille entre dans la classe. Je l'aime, ma professeure. Je l'aime même beaucoup. Avec elle, les cours deviennent plus amusants. Sauf que, des fois, elle a la manie de nous appeler par des noms d'animaux. Exemple : « Vas-y, lapin François. » C'est gênant. Mais bon, tout le monde a des défauts. Donc, madame Quenouille entre dans la classe et elle nous dit :

— Allez, sortez votre grimoire.

Non, nous ne sommes pas dans une école de sorciers. Ce que madame

Quenouille appelle notre grimoire, c'est notre livre de français. Ce qu'elle est drôle parfois...

— AïïïïïïïïïE ! Ma tête !

Je plaque ma main devant ma bouche ! C'est moi qui ai hurlé ça ?! Madame Quenouille me regarde, et toute la classe également. Je dis simplement :

— J'ai mal à la tête, puis-je aller à l'infirmerie ?

— Oui, vas-y, poisson Philippe. Veux-tu que quelqu'un t'accompagne ?

— Merci, ça va aller...

Je sors de la classe. Bon, aussi bien vous le dire tout de suite, j'ai des visions et, quand ça m'arrive, j'ai très mal à la tête.

Je cours vers la classe de ma sœur Lauranne. Elle a douze ans et elle est en sixième année. Par télépathie, je lui dis de me rejoindre le plus vite possible. Elle me répond qu'elle arrive. Je la vois lever la main. Elle demande si elle peut aller aux toilettes. Son prof l'autorise et elle sort de la classe en se pressant. Quand je l'appelle comme ça, elle sait que c'est parce que je viens d'avoir une vision.

— Que vois-tu ? me demande-t-elle.

— Quelque chose chez nous.

— Qu'est-ce que c'est ?

— Je ne sais pas, c'est très flou.

Nous nous sauvons de l'école et courrons à la maison. Lorsque nous arrivons chez nous, la porte est grande ouverte. Je fais mine de rien mais, en réalité, mon cœur bat à me défoncer la poitrine ! Lauranne est pâle comme un linge. Lorsque nous entrons, Lauranne s'écrit :

— HAAAAAAAAAAAAAAAAAAA ! On dirait

qu'une tornade est passée ici !

Je suis d'accord avec elle. Il y a des papiers partout par terre. Les chaises sont renversées de même que plusieurs autres meubles. Quelques fenêtres sont cassées, et il y a de l'eau sur le plancher. Nous montons l'escalier qui mène au deuxième étage. Là, je ne sais pas trop ce qui m'arrive. Je sais qu'il y a beaucoup de vent. Je suis soulevé dans les airs, Lauranne me regarde, apeurée, puis, plus rien.

Les missions

Je reçois de l'eau dans le visage. J'ouvre les yeux et je vois un géant au-dessus de moi. Ouf! Ça me rassure! Quoi? Un géant? Au secours! Il a des cheveux longs et bruns. Il est très grand et gros, et habillé un peu comme Robin des bois. Lorsque je viens pour me lever, hou la la! Tout tourne! Je retombe immédiatement sur le dos et aïe! Ma tête!

— Restez tranquille, me dit le géant. Vous avez été assommé par le choc.

— Que faites-vous ici? je lui demande.

— La question n'est pas de savoir ce

que moi, je fais ici, mais bien ce que vous, vous faites là ! me répond-il en riant. Rôder dans un château à cette heure-ci, ce n'est pas digne de vous, Philippe Provencher.

— Vous connaissez mon nom ?

— Vous êtes Philippe Provencher, le fils de Daniel et Catherine ?

— Oui... Vous connaissez mes parents ?

Le géant jubile.

— C'est bien ce que je croyais... C'est fantastique !

— Qu'est-ce que vous croyez ? Expliquez-moi enfin !

— Êtes-vous venu seul en Erianigami ?

— En Eria... quoi ?

— Erianigami ! Vous êtes dans la deuxième dimension ! Mais êtes-vous venu seul ?

— Je... Lauranne ! Non, il y a quelques

instants, elle était avec moi ! Où est-elle ?

— Voulez-vous parler de la jolie petite aux yeux bruns ? demande une grosse voix.

Un homme s'avance. Il a une courte barbe blanche et il porte une sorte de galurin de matelot. Il est très bien habillé.

— Est-ce à votre sœur ce bracelet ? demande-t-il encore.

— Oui, c'est moi qui lui ai offert. Où est-elle ?

— Je suis désolé, je croyais que c'était une petite Erianigamienne qui espionnait. Alors, j'ai ordonné à mes gardes de l'emmener sur l'Île aux pirates.

Il a l'air empathique, alors je lui demande :

— Qui êtes-vous ?

— Je suis comme... heu... le grand vizir du roi et je m'appelle Batarax. Est-ce vraiment vous, Philippe Provencher ?

— Oui.

— Wow ! Je n'en reviens pas ! dit-il.

Le géant et Batarax discutent à voix basse. J'arrive à entendre :

— ... lui dit ?...

— Non..., ... aintenant... livre...

— ... et sœur ?

— Oui..., ... aux pirates...

— ... accord...

Ils se retournent enfin vers moi. Je leur crie :

— Allez-vous m'expliquer, oui ?

Batarax prend la parole :

— Il y a quelques jours, des malfaiteurs se sont emparés du grand livre *Mémoire de notre Peuple*. Ce livre est vital, car il raconte tout le passé de notre monde, et notre peuple est menacé de disparaître si on ne le récupère pas au plus vite. Les témoins qui ont vu les voleurs prendre le livre disent que c'étaient des pirates. Et comme vous devez aller chercher votre sœur chez les pirates, vous pourriez essayer de nous rapporter le livre.

— Et où sont ces pirates ?

— Sur l'Île aux pirates, avec votre sœur, répond le géant.

— Maintenant, dit Batarax, vous allez dormir ici pendant que Mico et moi préparerons vos bagages.

— Attendez ! C'est vous Mico ? dis-je au géant.

— Oui, me répond-il. Pourquoi ?

— Ho ! En fait, c'est que j'ai déjà entendu mes parents parler d'un certain Mico. Sauf qu'ils parlaient d'un poisson.

— C'est très possible, car nous avons plusieurs vies en Erianigami. Effectivement, j'ai déjà été un poisson. Un requin avait enfermé mes parents dans une trappe quelque part sous l'eau. Daniel est devenu mon ami quand lui et ses amis, Catherine et Rousset, les ont délivrés. Je leur avais promis que s'ils m'aidaient j'exaucerais un souhait à chacun. C'est grâce à ça que Daniel a pu retourner au Canada, et que Catherine et Rousset ont pu l'accompagner.

— Impressionnant !

— Je peux continuer ? questionne Batarax.

— Oui, bien sûr.

— Si vous réussissez, vous pourrez rentrer chez vous avec votre sœur.

Lauranne ! Je dois absolument la sauver ! Qui sait à quelle heure les pirates vont décider de lui trancher la tête ! Je regarde

Mico, puis l'assistant du roi.

— Entendu ! dis-je.

— Vous partirez dès l'aube demain, lance Batarax.

L'Île aux pirates

e lendemain, je me réveille à cinq heures. Batarax et Mico sont déjà levés. Je prends rapidement mon petit déjeuner. Ensuite, Batarax me remet un sac à dos.

— Ce sont vos bagages, me dit-il. J'y ai mis des vêtements, de la nourriture sèche et quelques effets qui vous seront sûrement utiles. Il y a de la nourriture pour plusieurs jours pour vous et votre sœur.

Mico s'approche de moi.

— Voilà, pour vous, une bague qui peut vous permettre trois transformations d'une durée de une heure chacune. Et pour votre sœur, voici un collier qui peut permettre d'aller fouiller dans la mémoire de trois personnes de son choix. Le mot de passe pour entrer dans le repaire des pirates, c'est «crochet».

— Merci beaucoup à vous deux.

— Bonne chance! s'exclament-ils en chœur.

Batarax m'indique la direction pour me rendre à l'Île aux pirates. Je me mets en route et aussi à pleurer. Je ne sais pas pourquoi. Peut-être est-ce le fait de m'être embarqué dans quelque chose de si gros ou peut-être encore la peur de ne pas réussir.

«Allons, allons, Phil! Ressaisis-toi un peu!» me dis-je.

Et je poursuis mon chemin. Tout est calme, et je n'ai pas encore rencontré d'embûches, mais je me dis que ça s'en vient...

Le paysage est tout simplement magnifique. Je marche dans un petit sentier bordé de très grandes plantations, de verdure et d'arbres... Les oiseaux chantent et le soleil brille de tous ses rayons.

Après plusieurs heures de marche, j'arrive enfin devant une longue passerelle qui conduit sur l'Île aux pirates. C'est une île qui, à première vue, pourrait paraître accueillante, mais qui, en réalité, est plutôt repoussante. Sur la colline, la grande maison qui, de très loin, avait l'air si coquette n'est qu'un immense cabanon oublié depuis plusieurs siècles, plutôt répugnant. Un coulis de pourriture verdâtre tombe du toit et des rats grugent les morceaux de planches recouvertes d'insectes.

27

Une fois sur l'île, je me cache derrière un arbre, je touche ma bague et je chuchote :

— Pirate ! Attends, non ! Je dois réfléchir. Je dois sauver ma sœur. Je ne sais pas ce qui peut m'arriver sur cette île. Il faut que je sois rusé et fort, je dois être le meilleur pirate qui soit. Le meilleur pirate de tous les pirates !

Je me transforme aussitôt. Je me rappelle les paroles de Mico : «Tu ne disposes que d'une heure pour chaque transformation».

Je m'approche de l'entrée du repaire (sombre et sinistre, je vous l'assure) en frissonnant. Deux gardes bloquent le passage. Ils sont laids à vomir et ils sentent drôlement mauvais.

— Mot de passe ? demande l'un d'eux.

Ha ! Zut ! Je l'ai oublié, celui-là ! Je risque :

— Bouquet... non... œillet... non... heu... croquet...

— La ferme, vermine ! me dit le plus laid. On voit bien que tu ne viens pas d'ici, tu ne sais même pas le mot de passe. Et ceux qui essaient de s'introduire ici alors qu'ils ne sont pas du clan, tu sais ce qui leur arrive ? Hein ? Tu le sais ?

L'autre pirate se tourne vers lui et lui demande :

— On commence par les pieds ou la langue ?

— Pendant que je m'occupe des pieds, tu fais la langue !

Ils se retournent vers moi, et le plus laid continue :

— Nous sommes le clan le plus important et le plus fort des pirates. Tu ne peux rien contre nous. Allez, Bott, finissons-en avec lui ! dit-il en regardant l'autre garde.

« Vite, vite, vite ! Réfléchis, Phil ! » je me dis, pris de désespoir.

Les deux pirates sortent deux grands sabres de leur ceinture.

— Adieu, vermine !

J'essaie de m'imaginer si j'étais Peter Pan. Qu'est-ce qu'il a fait contre le Capitaine Crochet ? Je sais ! À tue-tête, je leur crie :

— Crochet !

Les deux monstres remettent leurs sabres dans leurs ceintures et me regardent un instant.

— Langue coupée de pieds fumants ! s'écrie le soi-disant Bott. Nous sommes vraiment désolés ! Allez ! Entre !

Fiou ! Je l'ai échappé belle ! Alors, j'entre dans la cabane, mais un pirate avec plein de cicatrices et de boucles d'oreilles, plus grand, plus laid et qui a l'air plus fort que tous les autres, me prend par le bras et annonce à tout le monde :

— C'est contre celui-ci que je vais me battre.

— Non, c'est que... Je ne peux pas... En fait, je...

— Je suis le chef ici, j'ai décidé que je voulais me battre contre toi. Je ne te connais pas. Ça fait une belle occasion de voir qui tu es. Allez ! Sors ton sabre, que l'on commence.

Je regarde ma montre et je constate que ça fait déjà quinze minutes que je me suis transformé. Pourvu que ce combat ne soit pas trop long et que je ne meure pas aujourd'hui. Je prends mon épée et tout à coup... ZOUIZZZZZZZZZZZZ ! Un choc électrique me passe dans tout le corps. Je sens une grande force m'envahir. J'exécute des mouvements que je ne contrôle pas. Des mouvements impressionnants d'avant-combat. C'est... magique ! C'est sûrement l'effet de la bague.

Je termine mon réchauffement et me mets en position de combat : la jambe gauche en arrière et la droite loin en avant, mon bras gauche le long de mon corps et le droit bien étiré en avant de moi, l'épée pointée sur le chef des pirates. Je vois bien qu'il a peur même s'il ne veut pas le montrer. Alors, lui aussi exécute, ou plutôt essaie d'exécuter, les mêmes mouvements que moi. Tous les pirates pouffent de rire. On dirait qu'il danse le ballet ! Finalement, il se fâche et il me dit :

— Le but est de rendre l'adversaire incapable de combattre.

— Facile, ne vous en faites pas.

Il me regarde férocement et pince les lèvres. Je lui lance :

— Vas-y, moumoune, si t'es vraiment un homme !

Il me regarde avec un sourire sadique et me saute dessus avec son épée. Moi, dans tout ça, vous savez ce que je fais ? Je l'évite, évidemment !

Le voilà face contre terre, le pauvre idiot. Mine de rien, je m'approche de lui, je lui tends ma main et, comme un imbécile, il la prend ! Avec mes deux mains, je m'agrippe à la sienne et je le fais tourner au-dessus de ma tête jusqu'à ce que je le lâche dans la foule de pirates impressionnés et alcooliques. Le chef revient dégoulinant de bière et de sang. Je lui dis :

— Pauvre p'tit chou ! Veux-tu que

maman fasse un «béqué bobo»?

Là, vous ne le croirez pas! Au début, je croyais qu'il allait encore me sauter dessus, mais non, à la place, il se met à pleurer. Dans la foule, tout le monde s'écrit comme des nonos :

— Honnnnnnnnnn!

Pendant ce temps, je me dirige vers la porte au fond de la salle. Je regarde très brièvement ma montre : il ne me reste que quinze minutes avant la fin de ma transformation. Je pousse la porte et...
Lauranne!

Le livre

En la voyant ligotée ainsi, avec un bâillon sur la bouche, ça me fait un pincement au cœur. Soudain, je me mets à détester ces maudits imbéciles qui l'ont enfermée comme ça.

«Les (bip!)», que je pense. Elle est endormie. Je pose doucement ma main sur son épaule, et elle se réveille en sursaut. Elle essaie de hurler, mais avec son bâillon, c'est peine perdue. J'essaie de la rassurer :

— Lauranne! C'est moi, Philippe! Veux-tu arrêter de crier! Grâce à une bague magique, je me suis transformé en pirate, mais il ne reste que quinze minutes à ma transformation. Nous devons sortir d'ici au plus vite !

J'ai l'impression qu'elle veut me dire quelque chose. Alors, je lui enlève son bâillon.

— Dites-moi quelque chose que seul Philippe pourrait me dire.

— Heu... Attends... Je suis dans la classe de madame Quenouille en cinquième année et elle a la manie de nous appeler par des noms d'animaux. Elle me regarde avec des yeux ronds comme des vingt-cinq sous.

— Ok. Je suis convaincue.

J'invente avec elle un mini-sketch pour nous permettre de sortir de cet endroit. Au moment de sortir, elle me dit :

— Attends ! Avant qu'ils me ligotent, je les ai vus cacher quelque chose dans ce coffre. Voudrais-tu regarder pour moi ?

Je me dirige vers le coffre et l'ouvre. Je le fouille et y trouve un livre. Je le feuillette pour m'apercevoir que c'est *Mémoire de notre Peuple*, le livre dont parlait Batarax. Super ! J'ai trouvé Lauranne et le livre ! Si nous sortons d'ici vivants, nous pourrons rentrer chez nous !

Je le dépose dans mon sac, je replace le bâillon sur la bouche de Lauranne, et nous sortons. Je mets mon sabre sous sa gorge et je déclare à tous les pirates (encore impressionnés et toujours alcooliques) :

— Je vais la jeter en bas du pont !

Tout le monde se met à applaudir, et quelqu'un annonce :

— Nous venons avec toi !

Tout le monde applaudit encore. Ça,

c'était pas prévu ! S'ils m'accompagnent, je vais devoir jeter Lauranne en bas du pont. À moins que...

— Entendu ! je leur réponds.

Je regarde ma montre : il ne me reste que cinq minutes ! Vite !

— Allez ! Guidez-moi jusqu'au pont.

— Suis-nous, on te guide ! me répondent les pirates.

Finalement, nous arrivons au pont. Les pirates me laissent passer et ils hurlent à tue-tête des choses horribles que je n'ai pas envie de répéter. Je regarde ma montre : deux minutes. Je mets ma main dans ma poche en prenant garde de ne pas toucher à ma bague tout de suite et je leur crie :

— Bande de tartes !

Ensuite, je prends ma bague et je hurle :

— OISEAU !

Et vous le devinez, je me transforme en oiseau géant. Lauranne se jette sur mon dos. En prenant mon envol, j'entends quelqu'un (probablement le plus écervelé des écervelés) s'écrier :

— Et si j'aime mieux les gâteaux ?

Un autre lui répond :

— C'est nous qu'il traitait de tartes, idiot !

— Une tarte à quoi ?

— Va voir ailleurs si j'y suis !

Pendant ce temps, Lauranne et moi, nous nous amusons comme des fous. C'est la première fois que nous volons (évidemment). Nous montons de plus en plus haut et nous accélérons beaucoup. Du ciel, tout nous paraît si petit ! Les arbres ressemblent à des brocolis, les grands lacs à des flaques d'eau, les maisons à des cailloux... Nous traversons les nuages en compagnie d'autres oiseaux... C'est féerique !

Après un moment, je commence à m'inquiéter. Je regarde ma montre accrochée à une plume et...

— Plus que deux minutes à ma transformation, Lauranne ! Il faudrait se poser !

— Dommage !

J'aperçois un endroit qui semble sécuritaire et je me pose. Heureusement pour nous, car aussitôt que je mets mes pattes au sol... Pouf ! Je me transforme — ho ! surprise ! — en Philippe Provencher ! Lauranne se relève, moi de même, et nous nous regardons droit dans les yeux. Après environ dix secondes, nous nous sautons dans les bras !

— Si tu savais à quel point j'étais inquiet pour toi, Lauranne !

— Oh ! Moi aussi, Philippe !

Nous restons enlacés durant environ dix autres secondes, nous nous repoussons doucement, et Lauranne me retombe dans les bras. Je me sens sur le point de pleurer, alors je lui donne des petites tapes dans le dos et je dis :

— Bon, ça va.

— Désolée, me dit-elle en essuyant une larme sur sa joue.

Moi aussi, je me serais encore jeté dans ses bras. Je l'aime tellement, ma sœur, mais je me serais mis à pleurer et je ne le voulais pas. Les garçons... vous comprenez ce que je veux dire.

Je me penche vers mon sac et je prends le collier que Mico m'a remis pour elle.

— Tiens, lui dis-je. C'est de la part de Mico. Ce collier te permet d'aller fouiller dans la mémoire de trois personnes de ton choix.

— Merci, dit-elle. Comment ça marche ?

— Je ne sais pas. Peut-être que tu dois peser sur le bouton derrière la pierre et pointer celle-ci sur la personne dont tu veux connaître le passé.

— Tu as probablement raison. Maintenant, explique-moi pourquoi tu as cette bague et ce collier.

Je lui raconte ma rencontre avec Batarax et Mico. À la fin, elle me dit :

— Maintenant, trêve de bavardage. Nous devrions essayer de dormir. Demain, il nous faudra être en forme pour rentrer chez nous.

— Tu as raison.

Nous sortons les couvertures et nous nous couchons.

Mémoire de notre Peuple

L e lendemain, je me réveille avant Lauranne. Je fouille dans mon sac et je me prends quelque chose à manger. Ensuite, j'étudie le livre *Mémoire de notre Peuple*. C'est très intéressant. J'ai l'impression de lire un conte. Toutes ces guerres que les Erianigamiens ont menées pour garder leur territoire ! Et comment ils sont arrivés à gérer l'oubli qui les menace de disparaître à tout moment. Ils savent des choses que nous n'avons jamais découvertes ou imaginées. Des choses pourtant bien réelles !

Wow! C'est incroyable! Le livre contient certains détails sur mes parents! Papa vient du Canada, mais maman, elle, vient d'ici! C'est sans doute pour ça que Lauranne et moi avons des pouvoirs surnaturels! Je n'en reviens pas! Je me demande bien de quoi auront l'air mes enfants!

Tiens. Il est question du roi. Il règne seulement depuis 200 ans. Seulement depuis 200 ans... Il est écrit que l'ancien roi se nommait Horacio, et que Daniel et Catherine avaient découvert les plans diaboliques qu'il manigançait. Il aurait ensuite été dénoncé par un certain Maigrichon et condamné à la pendaison, mais il a réussi à s'échapper et, depuis, personne ne l'a revu.

Ho, ho! Ça, c'est intéressant! Il est écrit ici qu'il y a un bateau — *Le bateau des*

44

aventuriers — qui permet de se rendre où l'on veut. Si je comprends bien, le bateau vogue uniquement sur la mer de l'imagination. Rares sont les personnes qui réussissent à y embarquer, car il faut des qualités extraordinaires et une imagination incroyable pour réussir à le voir. En fait, c'est à nous de l'imaginer mais, pour qu'il apparaisse, il faut l'imaginer de la bonne façon. Nous ne pouvons y effectuer qu'un seul voyage. Ça serait pratique pour revenir au château !

Tiens, voilà Lauranne qui se lève.

— Salut, me dit-elle. Que fais-tu ?

— J'étudie *Mémoire de notre Peuple*. J'y ai fait d'impressionnantes découvertes !

Je lui fais mention de tout ce que j'ai appris.

— Wow ! s'écrie-t-elle à la fin. C'est un

livre précieux ! Il ne faudrait pas le perdre. Mais d'après ce que tu m'as dit la dernière fois, bientôt, des milliers de personnes vont disparaître si nous ne le rapportons pas le plus vite possible à Batarax.

Nous nous levons et commençons à marcher au hasard. Après un certain temps, Lauranne me dit :

— J'ai faim. Tu n'aurais pas quelque chose à manger dans ton sac ?

— Oui. Sers-toi, dis-je en ouvrant mon sac et en sortant la nourriture.

Une fois rassasiés, nous ramassons nos affaires, et je commence à chanter :

— J'ai un beau bateau, matante tire-lirelire. J'ai un beau bateau, matante tirelirelot.

Lauranne, qui a compris ce que je voulais faire, enchaîne :

— Le mien est plus beau, matante tirelirelire, le mien est plus beau, matante tirelirelot.

— Le mien est plus haut, matante tirelirelire, le mien...

Et nous continuons ainsi pendant quelques heures. Nous marchons en imaginant des choses au *bateau des aventuriers* quand, tout à coup :

— Aïïïïïïïïïïïïïe !

Lauranne, encore une fois, a compris ce qui m'arrivait.

— Que vois-tu ?

— Il faut continuer... je... on approche du but... Nous avons presque trouvé le bateau.

Je perds l'équilibre mais Lauranne me rattrape à temps. La douleur s'apaise un peu, puis beaucoup, et je ne sens plus rien.

Nous continuons à chanter notre fameuse chanson. De temps en temps, de petites douleurs surviennent durant une ou deux secondes, puis disparaissent. C'est pour m'indiquer que nous approchons de plus en plus du bateau. Puis soudain...

Le bateau des aventuriers

n grand nuage de fumée apparaît devant nous. La fumée s'écarte pour laisser voir une voile, puis deux, puis cinq et, finalement, un beau et grand bateau en bois couleur érable. Sur une des voiles, il est inscrit «BRAVO!». Sous le bateau, il y a de l'eau jaune fluo. Deux hommes habillés en noir descendent sur la passerelle. Un grand bouffon édenté nous accueille.

— Bonjour, les enfants! Je suis le capitaine de ce beau navire.

Pff! Lui, un capitaine? Il continue:

— J'espère que vous passerez d'agréables moments en notre compagnie. Si vous avez besoin de quoi que ce soit, faites-le savoir et vous l'aurez. Le bateau vogue sur de la limonade, alors, si vous avez soif, servez-vous ! Il y a des chambres en bas, si vous êtes fatigués. Ma fille y est déjà installée. Si vous voulez faire sa connaissance, libre à vous. Sur ce, je vous laisse profiter de votre croisière.

— Mais vous ne savez même pas où nous voulons aller ! s'exclame Lauranne.

— Je sais tout sur vous. Après tout, je sors tout droit de votre imagination. Comme je sais que toi, tu t'appelles Philippe et que tu as un faible pour les brunes aux yeux verts. Allez ! Détendez-vous à présent !

Je sens que je deviens rouge comme

une tomate, mais Lauranne ne passe pas de commentaire. Je la remercie dans mon cœur.

Nous décidons alors d'aller examiner nos chambres. Nous poussons la porte de l'une d'elles et nous constatons qu'il y a déjà une fille installée sur un des lits superposés. C'est probablement la fille du capitaine. Je dis :

— Bonjour ! Pouvons-nous ent...

La fille se retourne : c'est une... brune aux yeux verts ! Elle est magnifique ! Elle a environ dix ou onze ans. Elle me sourit.

— Oui ?

— Je... ba... ga... ai... le...

— Pouvons-nous nous installer avec toi dans cette chambre ? demande Lauranne qui a probablement vu ce que j'avais.

Encore une fois, je la remercie dans

mon cœur.

— Oui, bien sûr. J'allais justement sortir. Voulez-vous venir avec moi ? demande la belle fille en me regardant.

— Bi... Bien sûr, je réponds.

— Moi, j'ai quelque chose à demander au capitaine, dit Lauranne. Je vous laisse !

La fille débarque du lit et me demande :

— Tu viens ?

— Oui.

Elle pousse la porte et nous sortons :

— Wow ! je m'écris.

Il y a un merveilleux coucher de soleil. C'est multicolore ! Devant mon émerveillement, la belle fille rit d'un rire cristallin.

— On voit que tu n'es jamais venu sur ce bateau ! C'est mon père, le capitaine, qui, tous les soirs, commande un beau coucher de soleil. Comment t'appelles-tu ?

— Philippe, et toi?

— Chrystal.

Elle a un nom aussi beau que son rire!

— Pourquoi es-tu ici?

Je lui raconte toute mon histoire. Elle n'en revient pas. Nous bavardons ainsi durant un peu plus de deux heures. À la fin, je vois qu'elle a un peu froid, alors je lui mets mon blouson sur ses épaules.

— Merci, me dit-elle.

Là, vous ne le devinerez pas, c'est pour ça que je vais vous le dire. Elle me prend la main! Oui! Elle me prend la main! Oh! Mais j'y pense, il faudrait qu'elle nous accompagne, moi et Lauranne. Je m'empresse de lui dire :

— Tu sais, je dois revenir au Canada et je... je me demandais si... si tu ne voulais pas nous accompagner, Lauranne et moi.

Qu'en dis-tu ?

Un sourire illumine son beau visage.

— Avec plaisir ! De toute façon, je commence à m'ennuyer sur ce bateau. Découvrir d'autres horizons, c'est ça qui manque à ma vie !

Je dégage ma main de la sienne et je passe mon bras autour de ses épaules. Nous nous regardons un moment, puis nous baissons les yeux vers l'eau. Heu... Pardon, vers la limonade.

Puis, soudain, je me sens devenir très bavard et je commence à raconter des blagues. Chrystal me trouve très drôle. Ensuite, nous parlons de choses et d'autres. Nous restons sur le pont du bateau jusqu'à la tombée de la nuit. Tout est comme dans les films. Puis, nous nous regardons droit dans les yeux durant environ dix secondes.

Nos bouches se rapprochent de plus en plus, puis...

— Philippe ! Le repas est servi !

Zut ! Lauranne ! Comme je le disais, c'est comme dans les films ! Il y a toujours quelqu'un pour briser le charme ! Cette fois, je ne la remercie pas dans mon cœur. Mais quand même, j'ai passé une très belle soirée.

Le collier de Lauranne

Mmmmm ! Le repas est délicieux ! Nous mangeons comme des ogres en parlant de plein de choses. Nous nous amusons comme des petits fous. Finalement vient l'heure du coucher. Je me brosse les dents et hop ! Je saute au lit ! Par télépathie, je dis à Lauranne : « Dès que Chrystal dort, rejoins-moi sur le pont. »

Aussitôt, Lauranne me répond d'un signe de tête approbateur. Environ une demi-heure plus tard, Chrystal dort à poings fermés. Elle est tellement belle ! Lauranne et moi sortons le plus silencieusement possible. Arrivés sur le pont, Lauranne me demande :

— Qu'as-tu à me dire... Roméo ?!

— Ha, toi ! Ferme-la un peu, veux-tu ? J'ai le droit d'avoir des amies filles !

— Ouais, pas juste « amie ».

Je détourne le regard.

— Bon ! Changement de sujet. Je voulais te dire que je l'ai invitée à venir au Canada avec nous.

— Écoute, je... je ne crois pas que... Enfin, elle pourrait nous ralentir et... Je veux dire, nous ne connaissons pas vraiment ses intentions et peut-être qu'elle... qu'elle est malhonnête...

— Chrystal ? Malhonnête ?

— Tu prendrais le risque ?

— Eh bien, il n'y a qu'une façon d'en être sûr. On va utiliser ton collier.

— Tu as bien raison ! Profitons-en pendant qu'elle dort.

Nous entrons dans la chambre sur la pointe des pieds. Lauranne prend son collier et se concentre pour entrer dans l'esprit de Chrystal. Pour l'instant, je ne peux pas dire si ça fonctionne, mais Lauranne tombe allongée sur le sol. Je murmure :

— Lauranne ! Lauranne ! Réponds-moi !

Bon ! Peut-être que ça fait partie du processus. Après dix secondes, ma supposition est confirmée. Lauranne se lève et entre dans le corps de Chrystal. Enfin, l'esprit de Lauranne, car c'est blanc transparent, et son corps est toujours par terre. Je la regarde faire, j'ai des frissons partout. Puis, mes yeux retombent sur son corps sans vie. Deux ou trois minutes après, il est secoué de spasmes. On dirait qu'elle fait une crise d'épilepsie. Puis, un spasme plus gros que les autres survient, et Lauranne revient à elle. Je me penche sur elle et mets ma main sur son front. Elle ruisselle de sueur. Elle est tout essoufflée, mais elle arrive à murmurer :

— Je te raconterai tout demain...

Le pacte de Chrystal

e me réveille et me demande si je ne viens pas juste de rêver. En tout cas, quel rêve étrange ! Je constate que Lauranne est déjà debout et qu'elle lit *Mémoire de notre Peuple*. Je me lève, et elle me fait signe de la suivre. J'obéis. Nous nous rendons sur le pont. Lauranne me dit :

— Cette nuit, j'ai fait un rêve. Enfin, je ne suis pas sûre que c'était juste un rêve. Ça me semblait si réel. Je crois avoir rêvé que j'utilisais mon collier magique pour entrer dans l'esprit de Chrystal.

— Tu n'as pas rêvé. Tu es tombée sur le dos. Ton esprit est sorti de ton corps et est entré dans le corps de Chrystal.

— Oui, eh bien, j'ai vu toute sa vie. À déchirer le cœur, je te le dis. Toute petite, ses parents l'ont abandonnée au milieu de la forêt. Plus tard, quand Chrystal avait environ trois ans, les pirates ont décidé de s'installer dans sa forêt. Ils ont trouvé Chrystal et ils ont décidé de la garder pour en faire une pirate. Jour après jour, ils l'ont maltraitée en espérant que ça l'inciterait à se battre. Je ne te raconterai pas tout ce qu'ils lui ont fait endurer, car tu vas en faire des cauchemars pour le reste de ta vie. Effectivement, un jour, toute cette colère secrète gardée durant plusieurs années a fini par exploser. Elle a compris qu'elle devait se défendre. Elle a sauté sur le pirate qui l'avait frappée et il est mort. Comme les pirates étaient très impressionnés de voir qu'une fillette d'à peine sept ans achève à elle seule un gros pirate costaud, ils lui ont tatoué la marque des pirates dans le bas du dos. Et ils voulaient plus que jamais avoir Chrystal dans leur groupe, mais elle, elle ne voulait toujours pas. Alors, un pirate lui a dit : « Écoute, petite, si tu nous rapporte le cœur de trois garçons, nous te redonnerons ta liberté. Pars maintenant et, chaque fois que tu réussiras à avoir un cœur, apporte-le-nous. »

Lauranne s'arrête un moment en voyant la tête que je fais.

— Chrystal n'avait pas vraiment le choix, continue Lauranne. Elle tenait à sa liberté. Donc, elle est partie, et la voilà ici maintenant. Le capitaine de ce bateau, c'est son

63

père adoptif. Philippe, elle ne t'aime pas. Elle va te tuer à un moment ou à un autre pour avoir ton cœur. M'écoutes-tu, Philippe ?

Non. Je n'écoute plus. Je suis déchiré. Je suis à la fois plus amoureux que jamais de Chrystal et, en même temps, je la déteste. Je me suis fait avoir ! Mes yeux se remplissent de larmes. Je me sauve à l'autre bout du bateau et je pleure en silence. Lauranne me rejoint vite. Elle passe son bras autour de mes épaules.

— Ça fait mal l'amour, hein ?

— Bonjour ! Que faites-vous ?

Chrystal ! Je me sauve en courant. Elle a vu que je pleure. Elle me rejoint dans la chambre et me demande :

— Que se passe-t-il, Philippe ?

— Laisse-moi tranquille !

— Pourquoi ? Je ne t'ai rien fait.

— Non ! dis-je sur un ton sarcastique. Presque rien !

— Explique-moi au moins.

— Tu veux que je t'explique ? Et bien ! D'accord, miss menteuse ! Je vais t'expliquer !

Je lui explique tout. À la fin, elle dit seulement :

— Ha, ça.

— Oui, ça ! C'est tout ce que tu trouves à dire ?

Chrystal baisse les yeux. Elle commence à pleurer.

— Pourquoi pleures-tu ? Tu devrais être fière, tu vas réussir à me tuer pour apporter mon cœur à tes amis les pirates ! Voilà ! Regarde ! Je me laisse tuer !

En lui disant ça, je mets mes bras en croix.

— Au début, j'étais vraiment en mission. Puis, en parlant avec toi, j'ai commencé à te trouver gentil, puis, de plus en plus. En quelques heures, je suis, moi aussi, tombée amoureuse de toi. Je t'aime, Philippe ! Tu ne me crois peut-être pas, mais je te le dis quand même. Je t'aime !

— Ouais ! C'est ça !

— Je comprends que tu ne crois pas à ce que je dis. Oui, je suis une menteuse. Je découvre à présent toute la gravité de ma tromperie.

Je finis de faire mon sac et je sors en ignorant Chrystal. Je demande au capitaine dans combien de temps le bateau accostera.

— Dans une heure et quart, me répond-il.

La dernière transformation

 e temps qu'il reste, je fuis le regard de Chrystal. Je me sens mal. J'ai l'impression d'être un vrai con. Comment ai-je pu être aussi naïf?

Finalement, le bateau accoste une petite île plutôt sombre, mais qui ne me semble pas dangereuse. Un sentier s'enfonce dans la forêt. Je prends mon sac et sors sans dire au revoir à personne. Lauranne me rejoint. Je regarde tout autour de moi, surpris de ne pas reconnaître les alentours du château. Je me dis que je ne tarderai pas à l'apercevoir.

Nous marchons en silence. Souvent, je crois entendre un craquement. Je me retourne, mais il n'y a personne. Des fois, j'entends quelqu'un respirer ou marcher derrière moi, mais, lorsque je me retourne, il n'y a toujours personne.

— Pourquoi te retournes-tu toutes les deux minutes ? interroge Lauranne.

— Je me sens épié.

— Tu as des hallucinations, c'est tout. Tu dois être fatigué.

— Je ne crois pas.

Tout à coup, nous entendons le bruit d'une épée qui sort de son fourreau. Lauranne me regarde et je lance :

— Qu'est-ce que je te disais !

Une nouvelle fois, nous entendons le bruit d'une épée, puis une autre et encore une autre...

— Nous ne sommes pas seuls, Philippe, me murmure Lauranne.

— J'avais remarqué.

Peu à peu, des pirates apparaissent autour de nous dans la forêt, épées pointées. Je reconnais la bande d'écervelés avec qui j'ai fait connaissance il n'y a pas très longtemps. Leur soi-disant chef avec qui je me suis battu a des marques partout en souvenir de notre combat. Ils avancent en souriant sadiquement. Ils regardent Lauranne, et un pirate lui lance :

— Tu croyais pouvoir t'échapper, hein, Chrystal ? Tu as réussi, mais nous t'avons retrouvée. Tu ne nous as pas apporté de cœurs de garçons comme prévu. Maintenant, tu vas souffrir.

Le mystère s'éclaircit. Ils ont pris Lauranne pour Chrystal ! Maintenant, ils pointent leurs épées sur Lauranne et ils l'emmènent je ne sais trop où. J'utilise mon pouvoir de télépathie pour communiquer avec elle.

— Lauranne ! Lauranne ! Utilise ton pouvoir de télékinésie et arrange-toi pour revenir jusqu'à moi.

— Compris.

Là, je me demande bien comment elle fait, car les pirates reviennent en courant suivis... d'une épée ? Oui ! Je comprends ! Lauranne a arraché l'épée d'un pirate et elle la dirige vers les autres ! Derrière l'épée, Lauranne marche calmement avec un grand sourire. Je crie aux pirates :

— Salut, les tartes ! Eh ! Toi ! Oui, toi, le grand chef ! Je vois que tu ne t'es pas encore remis de tes blessures ! Ça t'a impression-né, hein ? Pas moi ! C'était trop facile de me battre contre une moumoune comme toi !

Oups ! Je crois que j'en ai trop dit. La moitié des pirates me foncent dessus en hurlant de rage. L'autre moitié fonce sur Lauranne.

— LÂCHEZ-LES !

C'est la voix de Chrystal. Tous les pirates se tournent vers elle.

— Vous êtes tous de purs imbéciles ! Vous vous trompez de personne ! C'est moi, Chrystal ! Je veux ma liberté.

Un murmure circule parmi les pirates. Puis, ils foncent tous sur Chrystal. Je fouille dans ma poche et je crie à Chrystal :

— Attrape ma bague !

Je lui lance ma bague et elle l'attrape du bout des doigts. Puis, elle me fait un sourire, elle crie un mot dans une langue que je ne comprends pas et elle se transforme en une substance liquide transparente, mais assez gluante pour tenir en une grosse boule. Plusieurs pirates déguerpissent en hurlant tandis que d'autres, moins rapides, se font engloutir par la masse d'eau gluante. Ils n'y restent pas longtemps car, à peine deux secondes après, ils s'évaporent. Je crie à Chrystal :

— Ne t'en fais pas ! D'ici environ une heure, tu auras repris ta taille normale !

La troisième dimension

Effectivement, environ une heure plus tard, elle reprend son apparence normale. Je l'aide à se relever. Elle me sourit et me remercie. Lauranne s'approche.

— Merci, Chrystal. Merci de nous avoir aidés.

— Ce n'est rien. Je veux vous dire que je suis vraiment désolée. On recommence à zéro ?

— C'est comme si c'était fait !

— N'empêche que je me sens vraiment idiote.

Je la rassure :

— Ce n'est pas grave ! Tu as eu peur de ces pirates, c'est tout ! Mais maintenant, ce qui compte, c'est que tu aies retrouvé ta liberté. Plus de temps à perdre ! Il faut parvenir à sortir d'ici et nous allons réussir ! Le seul problème, c'est que je crois que nous ne sommes pas à l'endroit prévu. Aucun signe du château. Je crains que nous n'ayons d'autres choix que de nous enfoncer dans cette forêt étant donné que le sentier commence ici.

— Eh bien, allons-y, dit Lauranne.

Tandis que nous marchons, je pose à Chrystal la question qui me chicote depuis un moment :

— C'était quoi cette masse d'eau que tu as utilisée pour faire peur aux pirates ?

— Mon père est un très bon conteur et,

dans une de ses histoires, il y avait ça. C'est de l'eau sèche. Mon père m'a raconté que les pirates n'ont pas de cœur. En fait, l'intérieur de leur corps est presque uniquement constitué de feu. C'est ça qui les rend si méchants. Il faut absolument de l'eau sèche pour éteindre ce feu. C'est pourquoi ces ordures recherchent des cœurs de jeunes garçons, afin de ne pas se faire éliminer à la première goutte d'eau sèche.

— Ah bon.

CRRRRRRAAAAAAAAC ! Nous nous retournons en sursaut. Curieusement, nous nous trouvons devant un lac. Nous nous retournons encore et nous sommes devant une vallée, puis ensuite devant une petite maison, une grotte, une rivière, etc.

— La troisième dimension, murmure Chrystal.

— Quoi ? interroge Lauranne.

— Mon père m'a raconté une histoire qu'il n'a pas inventée. Je n'y croyais pas jusqu'à aujourd'hui.

— C'était quoi cette histoire ?

— Votre monde, l'univers, on l'appelle la première dimension. Notre monde, le srevinu, on l'appelle la deuxième dimension.

— Ce n'est pas l'Erianigami, votre monde ?

— Non. L'Erianigami, c'est un pays. Un pays de l'Éténalpe, la planète sur laquelle nous sommes.

— Comment sommes-nous arrivés ici ? questionne Lauranne.

— Ça paraît compliqué, mais, au fond, c'est très simple. Il y a plusieurs millions d'années, en Erianigami, un étiro s'est formé. Un étiro, c'est une sorte de boule d'air très violente qui existe seulement dans la deuxième dimension et qui se promène partout dans le srevinu à une vitesse folle. Cet étiro, d'une incroyable violence, a défoncé la barrière qui sépare la première de la deuxième dimension. Donc, depuis ce temps, dans l'univers, il y a un trou. Et la première dimension est maintenant reliée à la deuxième. Nous ne savons pas ce qui est arrivé à l'étiro, mais nous savons qu'en pénétrant dans l'univers il a laissé sa mar- que : une sorte de tube de vent qui se déplace dans votre monde. Vous avez donc dû pénétrer à l'intérieur de ce tube sans le savoir, et voilà pourquoi vous êtes ici. Ça répond à ta question, Lauranne ?

— Absolument. Dis donc ! Tu en connais des choses !

— Merci beaucoup. Maintenant, nous

sommes dans la troisième dimension. Il y a une barrière invisible qui permet d'entrer dans la troisième dimension. Nous ne savons jamais lorsque nous la traversons. Cette dimension est très étrange. Lorsque nous tournons la tête, le paysage change.

— Quoi ? s'exclame Lauranne. Nous n'avons plus aucune chance de revenir chez nous ?

— Si je comprends bien, nous sommes foutus ? dis-je.

— C'est à peu près ça, me répond Chrystal.

— T'es rassurante.

— Ne perdons pas espoir, dit Lauranne. Philippe et moi avons des pouvoirs. Nous nous arrangerons. Et puis, nous n'avons qu'à ne pas tourner la tête...

Naitsirk

Attention ! fait une voix.

Nous sursautons.

— Je vous ai eu ! Ha ! Ha !

Un gars sort de derrière un buisson. Il a une couronne de cheveux tout ébouriffés autour de la tête et le crâne chauve.

— Avouez, avouez, que vous avez eu peur, hein, hein, avouez !

— Heu... oui, et alors ? dis-je.

— Ha ! Ha ! Ha ! Je le savais ! Oui ! Hi ! Hi !

Il saute et il danse en chantant. Il continue :

— Oui, oui ! Hi ! Hi !

Il fait une grimace, et toutes les veines de son cou ressortent. Il en tire une en faisant :

— Ding, ding! comme s'il jouait en pizzicato sur un violon.

— Excusez-moi, monsieur, mais nous n'avons pas le temps de faire les fous.

— Ho, ho! Je suis désolé. Permettez-moi de me présenter. Je m'appelle Naitsirk. Je suis un Tridimensionnel ou plus précisément un Gillbard. C'est-à-dire que je viens de Gillbardie.

— C'est où, la Gillbardie? demande Chrystal.

— C'est par là.

Nous nous retournons vers la direction désignée par Naitsirk.

— Wow! Regardez où nous sommes, s'écrie Lauranne.

80

Effectivement, c'est très différent de l'endroit où nous étions il y a deux secondes ! Nous avons devant nous un grand pont suspendu qui menace de tomber d'un moment à l'autre. Il traverse le cratère d'un volcan. Nous ne voyons pas jusqu'où le pont se prolonge, car il y a beaucoup de brouillard. Nous devrons être très prudents en chemin. Nous devrons regarder droit devant nous et, en aucun cas, nous retourner.

La Gillbardie

Tout au long de notre chemin, nous avons réussi à regarder droit devant nous. Heureusement, la route était plutôt facile, à part une invasion de chauves-souris, deux planches du pont qui se sont cassées sous notre poids et Chrystal qui a failli tomber en voulant regarder à l'intérieur du volcan. Plutôt facile, je vous le dis !

Finalement, nous parvenons au bout du pont et nous descendons du volcan pour arriver à un village tout illuminé.

Lorsque nous atteignons le bas de la

montagne, une pancarte nous indique que nous pouvons bouger en toute sécurité, qu'une force spéciale protège cet endroit. Nous entrons donc dans le village.

C'est très beau ! Il y a une rivière et, un peu plus loin, plusieurs petites huttes illuminées.

Nous allons frapper à la porte de la première maison que nous rencontrons. C'est une dame qui nous répond. Elle est plutôt étrange. Elle a un très gros nez qui prend une place énorme dans son visage plein de verrues, il lui manque quatre dents et elle est toute ridée. Elle nous fait un large sourire.

— Bonjour, que faites-vous ici ? demande-t-elle.

— Bonjour, madame, répond Chrystal, nous venons de la deuxième dimension, nous ne connaissons pas vraiment le coin et...

— Que c'est charmant ! Entrez vite !

C'est très petit, sa maison. Il y a une table, trois fauteuils, trois lits et une petite armoire dans un coin. Il y a aussi un foyer où un feu brûle.

— Prenez place dans les fauteuils. Mon mari et mon fils Kougou ne vont pas tarder. Ils sont partis à la pêche et ils vont revenir avec le souper. Vous nous raconterez votre histoire lorsqu'ils seront là.

— Merci beaucoup de nous accueillir chez vous, dit Lauranne. Comment vous appelez-vous ?

— Je m'appelle Stadia, et vous ?

— Je me nomme Philippe, voici ma sœur Lauranne et notre amie Chrystal.

— De très jolis noms, allez, allez,

assoyez-vous !

Nous obéissons. Chrystal prend place dans le fauteuil à côté du mien et elle me prend la main. Je lui souris. En attendant, Lauranne et moi parlons du Canada à Chrystal, et Stadia nous écoute attentivement.

Environ trente minutes plus tard, Stadia s'écrie :

— Voilà ! Ils arrivent !

Elle court ouvrir la porte à son mari et à son fils. Elle les serre fort dans ses bras. Kougou a environ neuf ans.

— Je commençais à m'inquiéter, Padja ! dit-elle à son mari.

Ils ont des noms bizarres : Stadia, Kougou et Padja.

Lorsque Padja s'aperçoit de notre présence, il nous sourit.

— Nous avons de la visite, dit-il.

— Oui, il paraît qu'ils viennent de la deuxième dimension.

Pendant que Stadia prépare le souper, nous racontons notre histoire à Padja et à Kougou. Stadia ne manque pas un mot de notre conversation.

— Allez, à table ! Nous allons manger du Frouga ! annonce Stadia

— C'est moi-même qui l'ai pêché ! dit fièrement Kougou. Ils sont si rares à cette période !

Nous nous installons à table. Stadia me sert en premier. Je m'empresse de goûter au poisson.

— Mais c'est délicieux !

— N'est-ce pas ? me répond Padja.

Nous continuons de raconter notre aventure. À la fin du récit, ils nous regardent avec des yeux tout ronds d'étonnement. Finalement, Kougou brise le silence en commençant à applaudir. Padja et Stadia l'imitent. Padja dit :

— Bravo Chrystal pour ton combat contre les pirates. Bravo Lauranne pour ton grand courage. Et finalement, bravo cher Philippe pour ton astuce, ton courage et ton sang-froid. Bravo à nos trois héros !

Toute la petite famille applaudit. Nous ne pouvons nous empêcher d'afficher un large sourire.

— Mais ils vont être encore plus des héros s'ils réussissent à rentrer chez eux. Pour ce faire, il faudrait leur donner de bons conseils, déclare Kougou.

— Tu as raison, mon Kapou, répond sa mère.

Nous la regardons avec un drôle d'air,

Chrystal, Lauranne et moi. Elle nous explique :

— Un Kapou, c'est une sorte d'animal. C'est un petit mot doux.

Tout à coup, je pense à madame Quenouille, peut-être vient-elle de la troisième dimension !

— J'ai ma petite idée pour vous aider à rentrer chez vous, avoue Padja. Vous pourriez aller voir les sirènes !

— Peut-être... Mais il faudrait qu'elles soient d'accord, hein, papa ?

— Ça, ce n'est pas compliqué. Il suffit de le leur demander. Alors, les enfants, commence Padja en se tournant vers nous, vous avez sans doute entendu parler des sirènes ?

— Oui, bien sûr.

— Bon. Les sirènes, elles s'y connaissent

bien dans à peu près tout. Les passages secrets, les chemins, les portes magiques n'ont pas de secrets pour elles. Si vous alliez les voir, elles pourraient sûrement vous aider. Cependant, je dois vous avertir, elles sont assez différentes de ce que l'on raconte dans les histoires. D'abord, ce n'est pas vrai qu'elles sont belles. Elles sont même très laides. Elles ont la peau verte et ridée. Leur queue plutôt spéciale est constamment en période de mue. Leur peau change donc chaque minute. Elle se décompose pour faire place à une nouvelle qui, à son tour, va se décomposer une minute plus tard. Elles ont une minus- cule bouche pleine de toutes petites dents. Mais, ne vous inquiétez pas, elles sont très gentilles et accueillantes. Ici, en Gillbardie, elles sont nos meilleures amies.

Ce sont de véritables confidentes. Prenez un bon repos et, demain, vous irez les voir. Êtes-vous d'accord ?

— Évidemment ! crions-nous en chœur.

— Maintenant, allez vous reposer, vous aurez besoin de beaucoup d'énergie pour rentrer chez vous, déclare Stadia.

Nous nous installons sur les fauteuils avec des couvertures.

— Merci et bonne nuit, dis-je.

Stadia, Kougou et Padja vont se coucher. Stadia ferme les lumières, il ne reste que le feu de la cheminée que je regarde un dernier dix secondes avant de m'endormir profondément.

Les sirènes

E n parfum de fleur me réveille doucement. J'ouvre les yeux, je me tourne et je constate avec étonnement que je suis le dernier à me lever. Ce n'est pas dans mes habitudes : je suis plutôt un lève-tôt. Je vais m'asseoir à la table et je mange avec appétit le délicieux petit déjeuner. Nous parlons de choses et d'autres. À la fin du repas, Padja prend la parole :

— Mes amis, ce fut pour moi un grand honneur de vous rencontrer. Voici un petit présent en souvenir de votre passage dans notre maison. Ces colliers magiques représentent les quatre éléments : le feu, l'eau, l'air et la terre. Si, par exemple, vous devez faire face à du feu, la pierre représentant le feu sur votre collier vous en protégera.

Il nous remet un collier à chacun en nous souhaitant bonne chance. Nous remercions nos nouveaux amis pour leur hospitalité et leur aide.

— Allez ! Venez ! dit Kougou. Nous allons au lac demander l'aide des sirènes !

Nous suivons la petite famille. Arrivés au lac, Kougou se penche vers l'eau et commence à émettre de drôles de sons. Devant notre étonnement, Stadia nous explique :

— Les sirènes ne peuvent pas nous comprendre lorsque nous sommes à l'extérieur de l'eau. Il faut alors parler leur langue. Son grand-père lui a enseigné la langue des sirènes.

Kougou se relève :

— Je ne les ai jamais vues comme ça ! Je leur ai à peine parlé de vous et elles ont commencé à s'exciter. Si elles sont heureuses de vous rencontrer, c'est super ! Vous pourriez leur apporter à manger, ça leur ferait plaisir ! Maman, va donc chercher les Spongios.

— D'accord.

— Les Spongios sont des plantes aquatiques, explique Padja. Elles sont pratiques pour tout. Par exemple, pour étancher la soif, guérir certaines blessures, boucher des trous... C'est pourquoi nous en gardons toujours une petite réserve chez nous.

Stadia revient avec deux boîtes, une de Spongios et une autre qui a l'air de contenir des pilules. Elle tend à Chrystal la boîte de

Spongios et nous montre l'autre boîte.

— Vous voyez bien cela ? Parfait. Ce sont des Aquatisquiros. C'est pour respirer sous l'eau. Il faut être très prudent et ne jamais mais bien jamais les avaler. Il faut seulement les croquer et les recracher. C'est bien compris ? Ok. Prenez-en une, mâchez-la jusqu'à ce qu'elle soit en poudre et recrachez immédiatement.

Elle nous remet à chacun une Aquatisquiro. Nous suivons les consignes.

— Bien. Maintenant, vous en avez pour environ deux heures. Faites vite, les sirènes vous attendent ! Votre collier vous protégera sous l'eau, mais faites quand même attention. Bonne chance ! dit-elle avec empressement.

L'énigme

Les sirènes nous attendaient. Nous nous apercevons que nous respirons très bien dans l'eau. Chrystal ouvre la boîte de Spongios que Stadia lui a remise. Les sirènes sautent dessus et avalent tout comme des gloutonnes.

Après s'être régalées, elles nous invitent à les suivre. Elles nous emmènent dans un bateau tout pourri. À l'intérieur, il y a un trou qui a l'air plutôt profond et où il n'y a pas d'eau. C'est plutôt étrange de voir un trou dans l'eau dans lequel il n'y a pas d'eau ! En plus, je dois avouer que ces sirènes sont plutôt laides et difficiles à regarder. Mais après un certain temps, nous découvrons leur amabilité, ce qui nous donne envie de devenir leurs amis.

Nous sautons dans le trou sans fin. Grâce à notre collier, l'air nous porte. J'ai l'impression d'être assis sur un nuage. C'est vraiment extraordinaire !

Tout en bas, nous débouchons dans un merveilleux village rempli de petites maisons en bois et de lumières. En fait, le village est dans une sorte de bulle et, à l'extérieur, nous voyons tout plein d'autres bulles contenant chacune un village. En chœur, les sirènes nous annoncent :

— Bienvenue chez nous !

Dans ce village, il n'y a pas d'eau. Autour de nous, c'est de l'air ! Les sirènes nous guident vers une petite maisonnette. Elles nous invitent à nous asseoir.

— Bonjour ! dit l'une d'elles. Je m'appelle Kara. Il paraît que vous venez de la première et de la deuxième dimension ? En tout cas, c'est ce que Kougou nous a dit...

Nous racontons à toutes les sirènes notre longue histoire. À la fin du récit, elles passent leurs commentaires :

— Wow !

— Ce n'est pas possible...

— Il est celui que nous attendions !

Puis, elles se mettent à chuchoter entre elles. J'arrive à percevoir :

— ... il... pourra... résor...

— ... oui... et prophétie...

— ... lui dit...

— ... i... videmment...

— Voilà ! Ça recommence ! dis-je en pensant aux cachotteries de Mico et de

Batarax au château. Voudriez-vous enfin m'expliquer ce qui se passe ?

Elles se regardent toutes, prennent une grande inspiration et articulent en appuyant bien sur chaque syllabe :

— Il y a deux trésors, mais une seule clé. En toi est gravé le chemin qui permet d'y accéder. Une fois la clé trouvée, dans ton esprit un trésor se sera effacé.

Ensuite, une sirène me dit :

— C'est une vieille énigme que nous connaissons depuis longtemps et que nous attendions de révéler au seul et unique... élu. C'est toi, Philippe. Elle t'était réservée.

— Quoi ? Je...

— Dans le livre *Mémoire de notre Peuple*, il est écrit qu'un jour quelqu'un viendra pour sauver la deuxième et la troisième dimensions. Il devra avoir le sang de deux dimensions différentes et avoir des qualités incroyables pour trouver les deux trésors et accomplir la prophétie.

— Mais pourquoi est-ce seulement moi qui peux trouver les trésors ?

— Parce que ces trésors ont une valeur incroyable et des propriétés insoupçonnées. Seul l'élu peut y accéder.

— Mais qui vous dit que vous ne faites pas erreur et que ce n'est pas Lauranne, l'élue ? demande Chrystal.

— C'est vrai, mon frère et moi, nous nous ressemblons beaucoup. J'ai peut-être les mêmes qualités que lui.

— Il est écrit dans la prophétie qu'un garçon libérera notre peuple. Si tu réussis, ton passage sera écrit en lettres d'or dans le livre. Le seul indice que tu as, c'est l'énigme. Tu ne peux recourir à l'aide de tes compagnes de route pour trouver la réponse. Toi seul peux la résoudre. Si c'est vraiment toi l'élu, ça devrait marcher.

— Et si jamais je ne trouvais pas la réponse ? Je sais que c'est moi et moi seul qui dois résoudre cette énigme, mais si j'échoue ?

— Comme nous ne connaissons pas la réponse de l'énigme, nous ne pouvons pas répondre à ta question. Mais nous savons que si tu ne rapportes pas le livre à temps, l'Erianigami et son peuple disparaîtront. Comme la porte de la troisième dimension se trouve dans l'Erianigami, la troisième dimension disparaîtra elle aussi. Peut-être que ces disparitions auront des conséquences plus graves encore. Fais de ton mieux.

À suivre...

Table des matières

Achevé d'imprimer au Canada
en août deux mille cinq
sur les presses de Quebecor World Lebonfon
Val-d'Or (Québec)